A la pequeña Gina
Para Mariona

VECINOS

IGNASI BLANCH & ANNA APARICIO CATALÀ

Texto de ÀNGEL BURGAS *y* MAR GONZÁLEZ

BABULINKA BOOKS ♥

Yo dibujo y pinto.

Lo hago con los colores
que a mí me gustan.

Lleno las páginas
con mis flores
y mis personajes favoritos.

Yo decido qué poner
para conseguir que mi dibujo
sea más bonito.

Y elijo con quién
compartir la alegría
de mis colores.

¡Eh! ¿Qué ha pasado?

¿Quién se ha atrevido
a dibujar en mi página?

¡En mi dibujo mando yo!
Esto es intolerable,
insoportable.

¡Imperdonable!

¿Dónde estoy?

Desde esta página todo se ve
de un color distinto.

¿Y si intentamos dibujar...

...juntos?